OOR WULLIE

Published by D C Thomson Annuals Ltd in 2012
DC Thomson Annuals Ltd, 185 Fleet Street, London EC4A 2HS
© DC Thomson & Co. Ltd.

ISBN 978-1-84535-495-4

Wullie plans to hae a fortune soon,
By doin' odd-jobs aroond the toon.

Will Wullie and his frosty friend, Have the last laugh in the end?

Withoot a way tae sledge or slide,
Wullie micht as well stay inside.

Hae ye ever clapped yer eyes,
On hands o' such an awfy size?

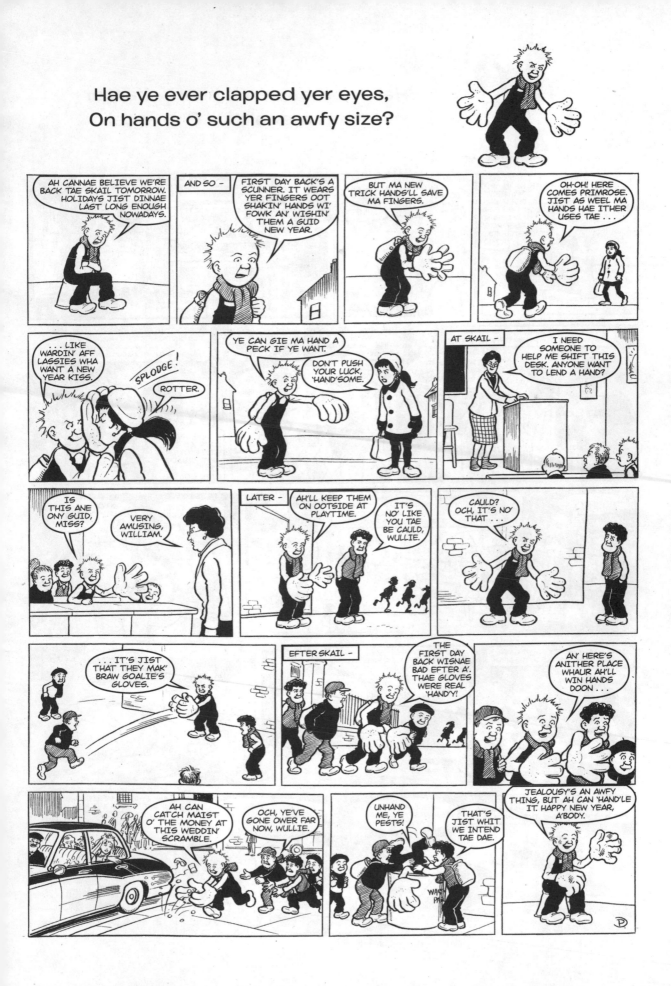

Here comes some hearty banter
Wi' that rascal Wull O'Shanter.

Look oot, he's heading richt your way, Oor Wullie on a kitchen tray.

Primrose thinks her girlie way,
Can beat the laddies ony day.

It's Tam the tramp's lucky day,
When Oor Wullie comes oot tae play.

Wull's glad o' extra underwear,
For snow is lyin' everywhere.

Ye'd think Wullie would be guid,
Wi' hammer, nails and bits o' wid.

Valentine's day and Wullie tries,
To come up wi' a smart disguise.

When the nicht is cauld and wet,
Wullie's no' happy wi' his pet.

Oor laddie kens the perfect spot,
Tae hide when things are gettin' hot.

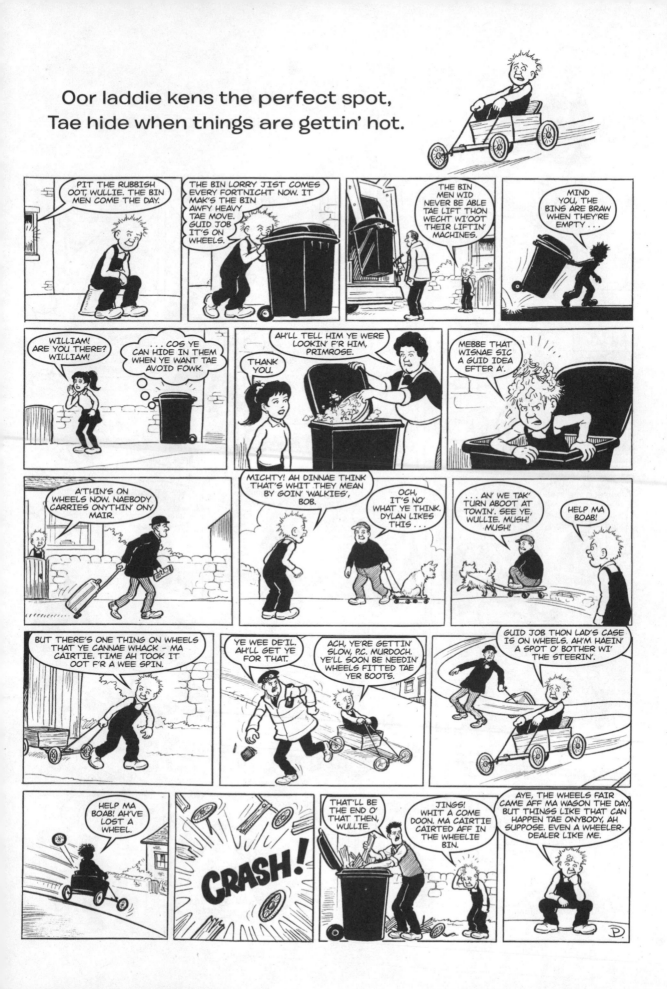

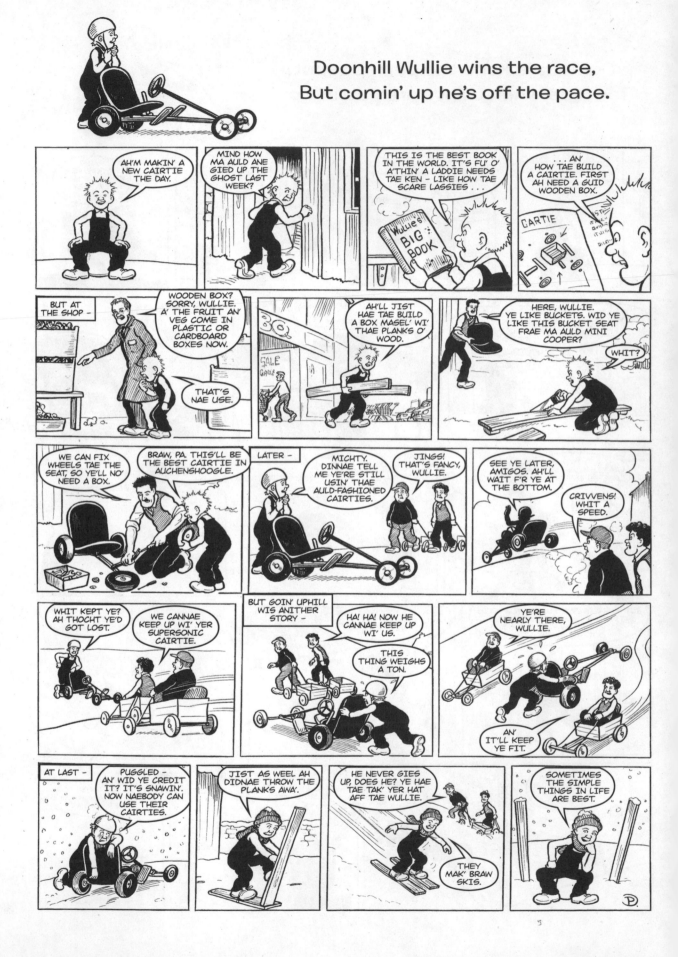

Doonhill Wullie wins the race,
But comin' up he's off the pace.

Poor wee Wullie disnae ken,
When he micht see his pal again.

A great escape is Wullie's aim,
Soon he'll wish he'd stayed at hame.

Oor laddie thinks it jist plain silly,
That Primrose winnae call him Wullie.

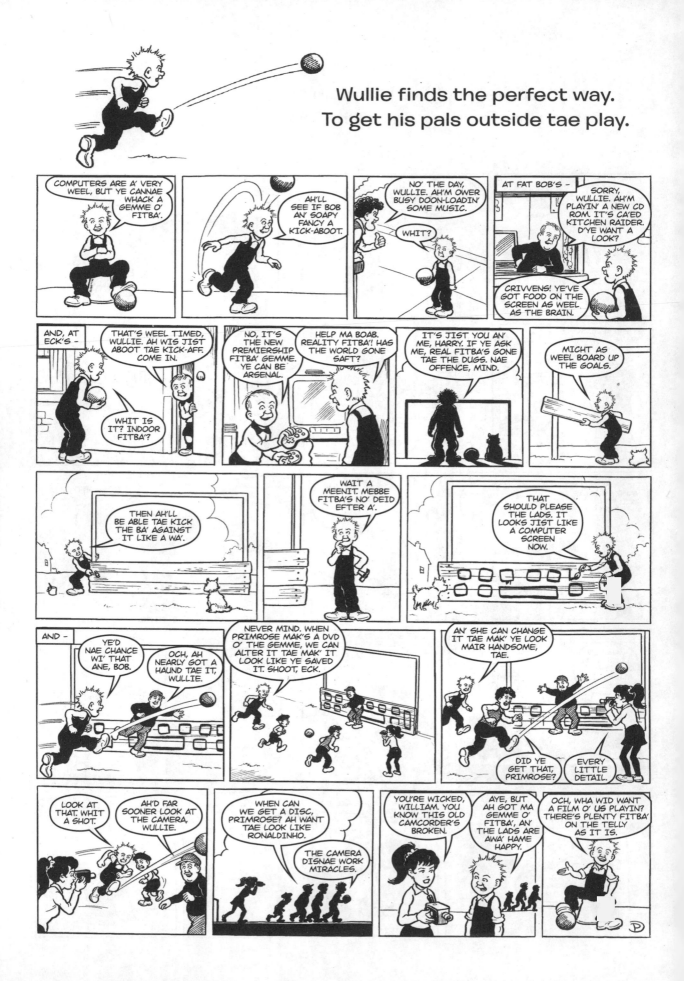

Wullie feels he'd be at home,
In the glory days o' Rome.

For Wullie things are lookin' bleak,
In Auchenshoogle Women's Week.

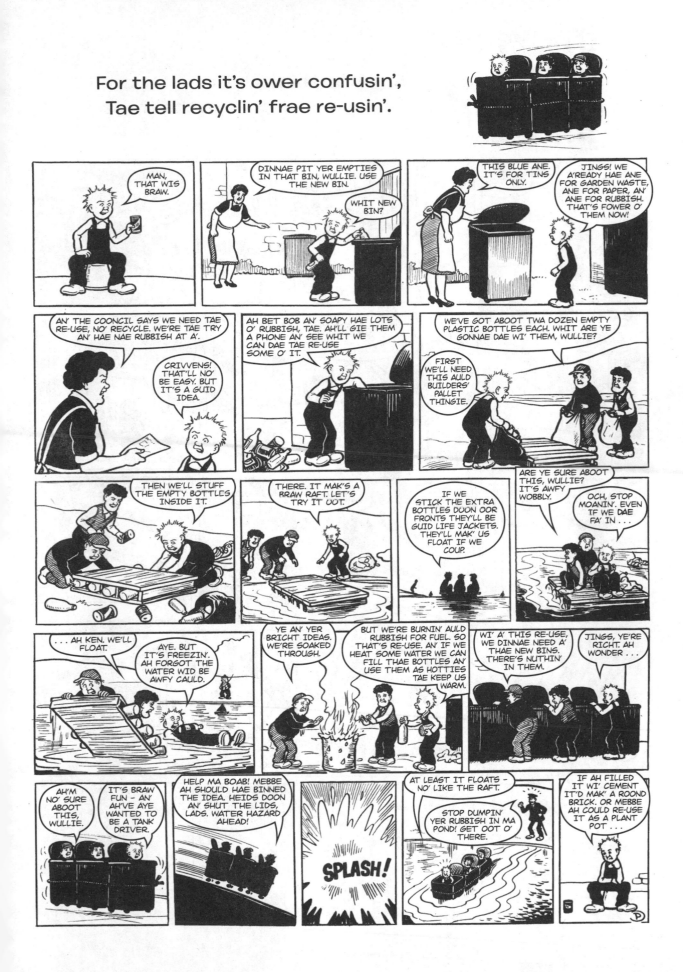

For the lads it's ower confusin',
Tae tell recyclin' frae re-usin'.

Wullie thinks it'll be a breeze,
Buildin' a hoose in the trees.

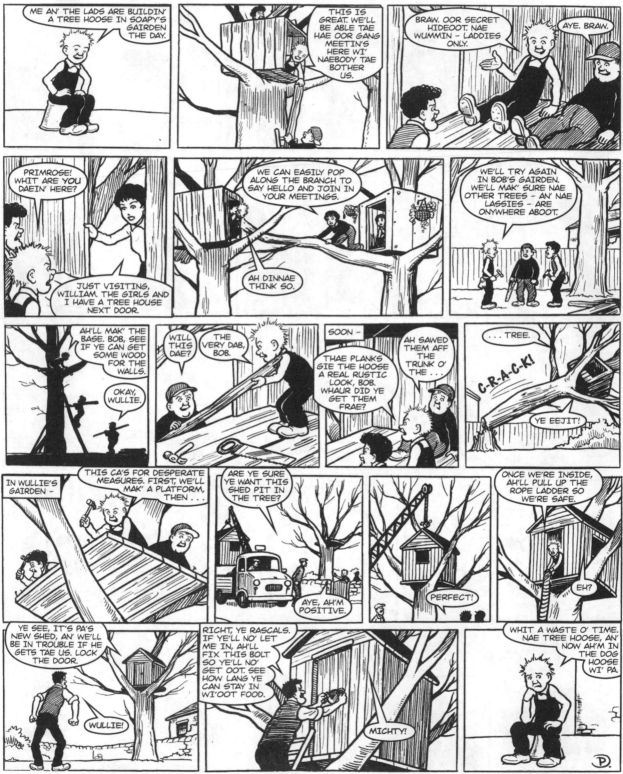

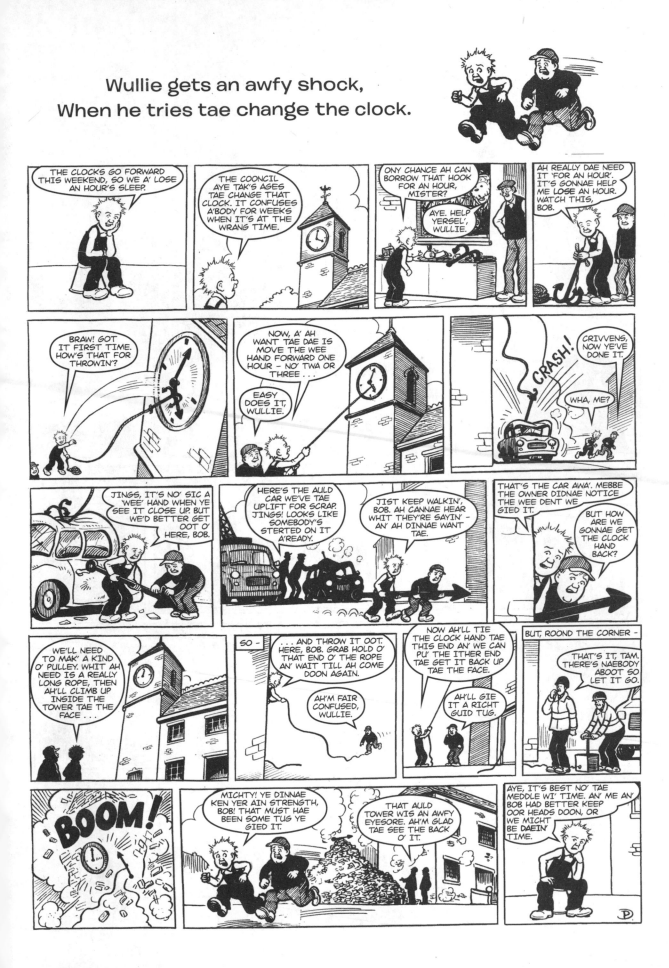

Wullie gets an awfy shock,
When he tries tae change the clock.

Wullie's in an awfy fix,
Him and weemin dinna mix.

Wullie tries many ways,
Tae stretch oot the holidays.

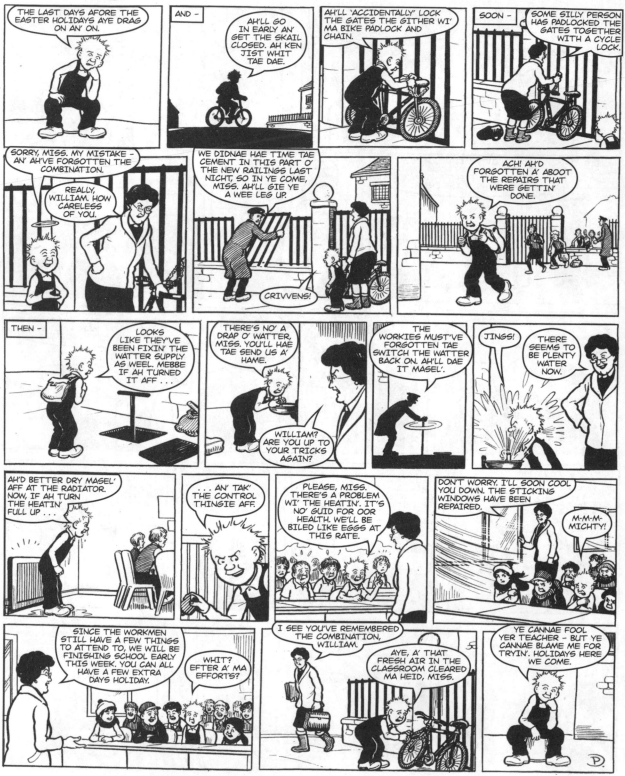

Wullie's fishing tak's a scary turn,
Are there monsters in Shoogle Burn?

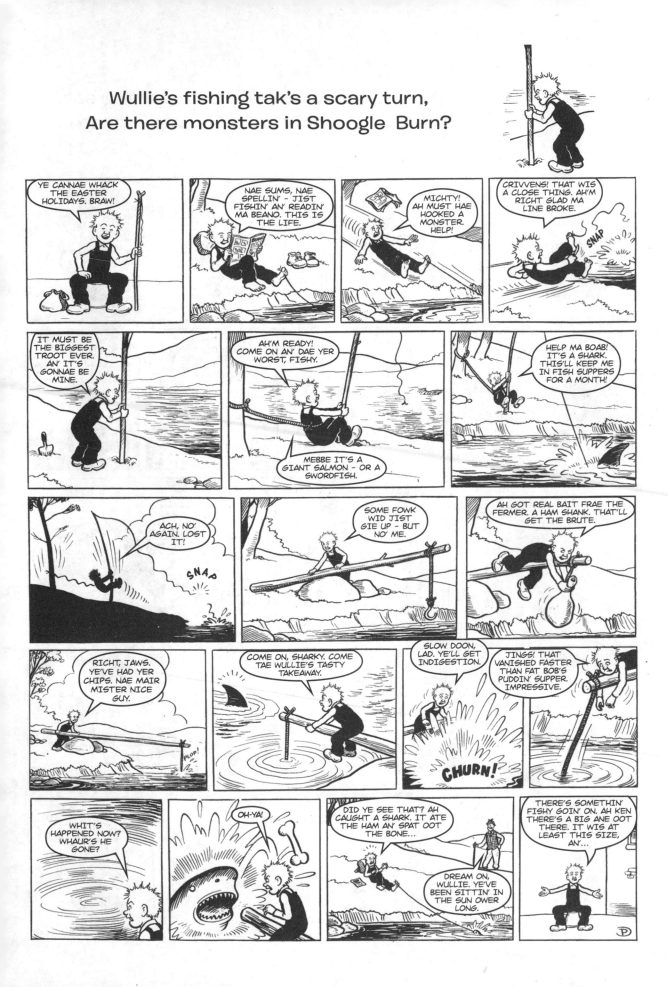

At fitba Wullie thinks he's great,
His ba' control is jist first rate.

Jings! Whit an awfy pain, Wull's last pound is doon the drain.

A scarecrow dressed tae look like Bob,
Jist isnae fit tae dae the job.

Though it's near the month o' May,
Summer still feels miles away.

Well, michty me, just take a look,
At cousin Kenny's king-sized plook.

Wullie's no' a happy fella,
Underneath his braw umbrella.

Wullie's coolness drops a shade,
When face tae face wi' big McDade.

Help mah Boab! Whit a carry on, Wull's bonnie hair has a' but gone.

Midges, midges everywhere,
Up yer nose an' in yer hair.

It's certainly no laughin' matter,
Harry's trial wi' soap an' watter.

The Highland Games are due to start,
An' in his kilt Wull looks the part.

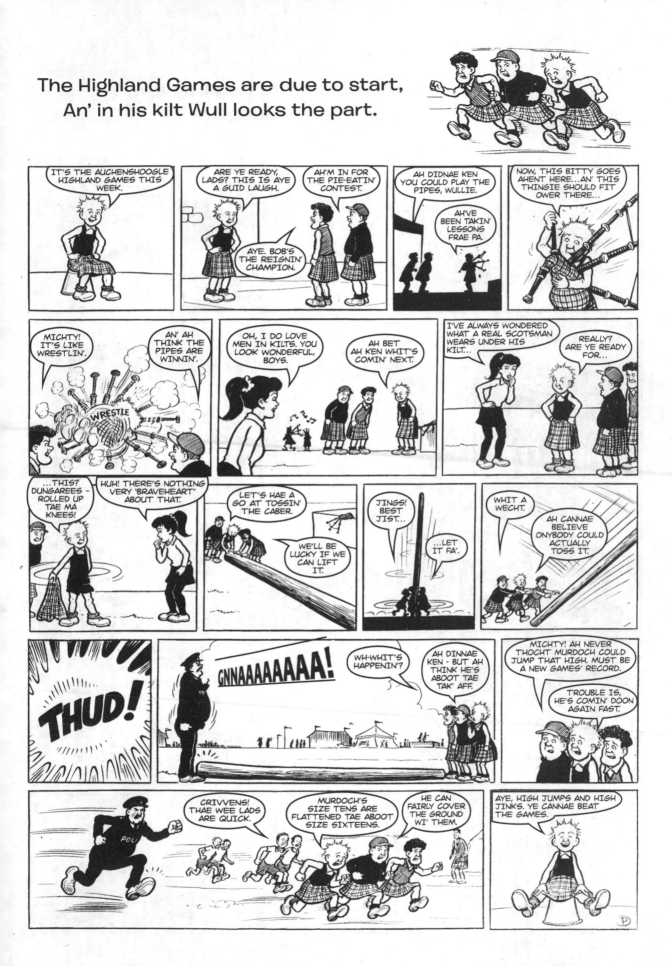

Wullie's plans are dealt a blow,
Two intae five just won't go.

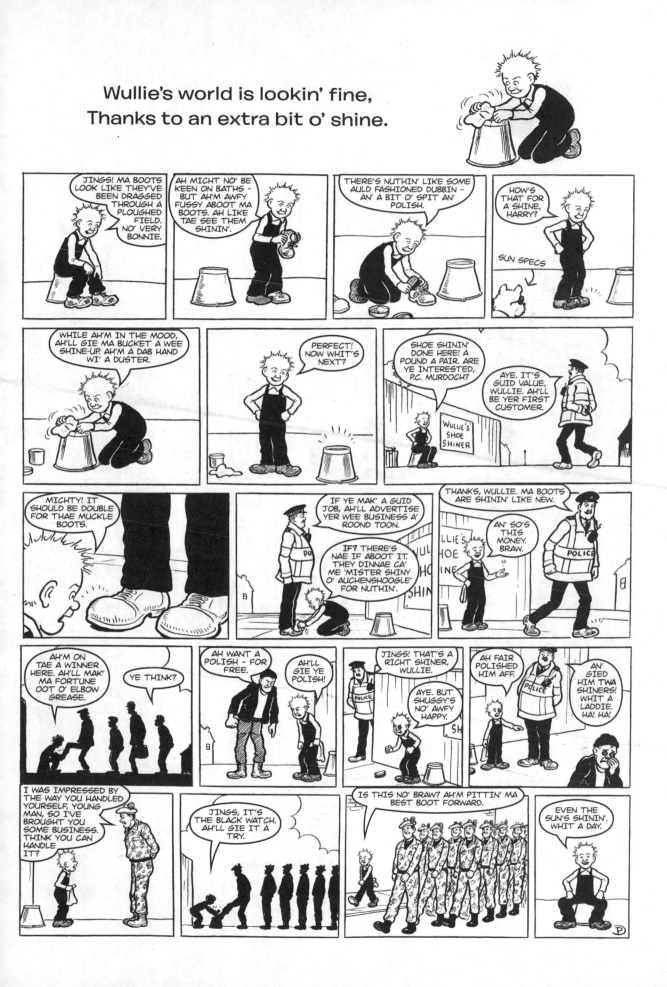

Wullie's world is lookin' fine,
Thanks to an extra bit o' shine.

Wullie's throat is dry as dust,
Lubrication is a must.

Wi' body building Wullie tussles,
Oor lad is after six-pack muscles.

It's just as well Oor Wullie's aims,
Are school sports, no' Olympic Games.

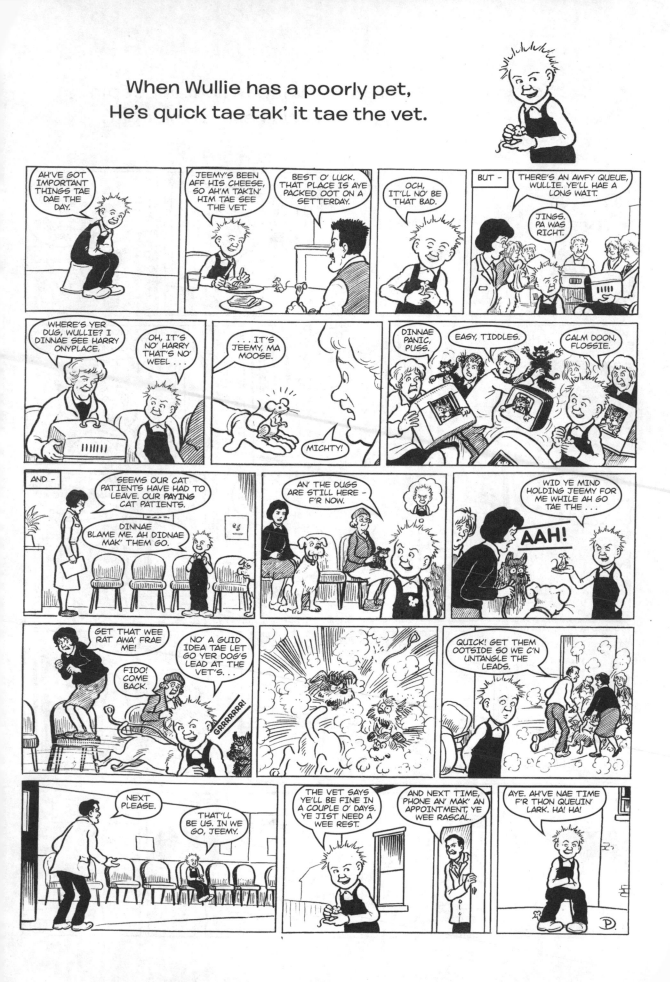

When Wullie has a poorly pet,
He's quick tae tak' it tae the vet.

Through the windae licht is peepin',
That's why Wullie isnae sleepin'.

It's hot but Wullie's lookin' cool,
Wi' icy drinks and a private pool.

Wullie thinks there's nothin' finer, Than tae be a workin' jiner.

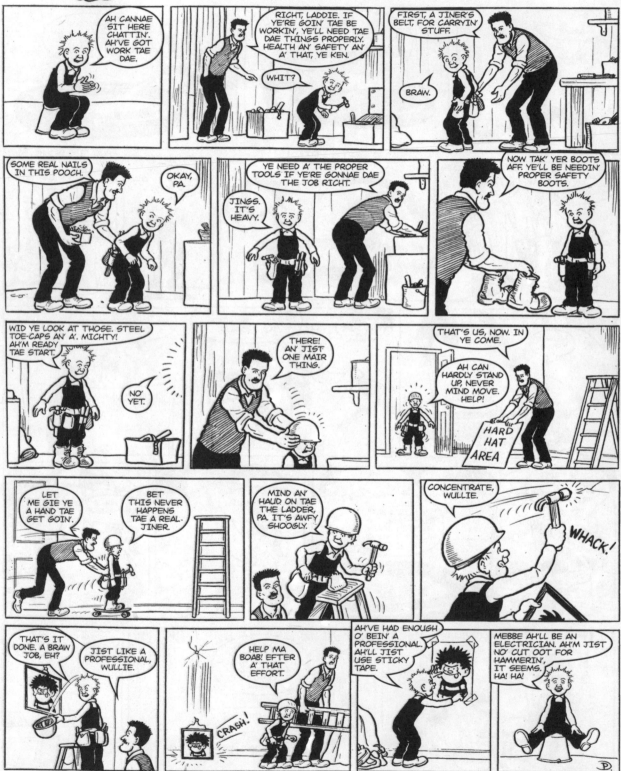

When Primrose starts tae interfere,
The fitba team a' disappear.

The pesky midge has Wullie beat,
And a' the lads are needing tae eat.

Wullie's in trouble wi' the law,
Trying tae raise a bob or twa.

An easy way to earn some dosh, Open up yer ain car wash.

There's nae earphone in Wullie's lug,
But he's still lookin' awfy smug.

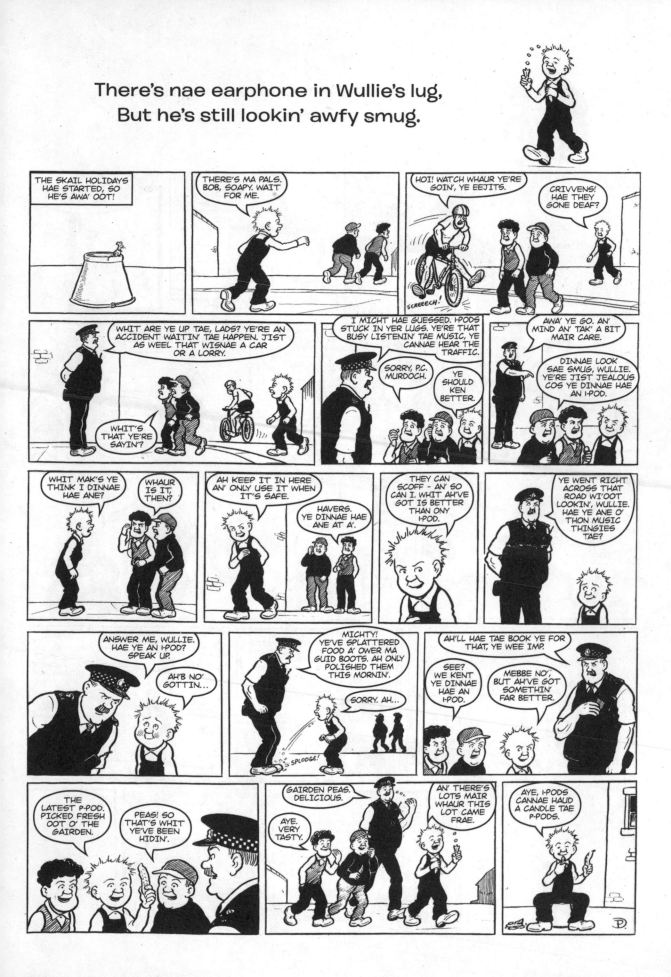

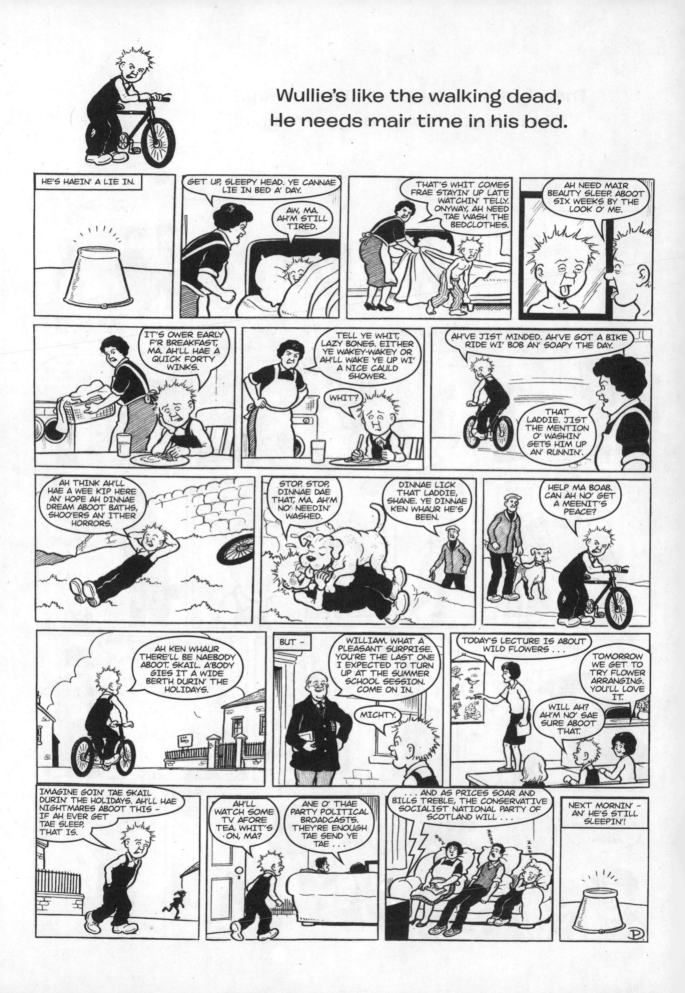

Carrying supplies can be a chore,
Unless ye plan things well afore.

Wullie thinks he has the knack,
For an all out rasp attack.

Have ye ever seen anything like, Oor Wullie's marvellous motorbike?

Hungry moths set tae dampen, Wullie's plans for happy campin'.

Wull wants to know what lies ahead,
So he's having his fortune read.

That braw castle made o' sand,
Just how long can it stand?

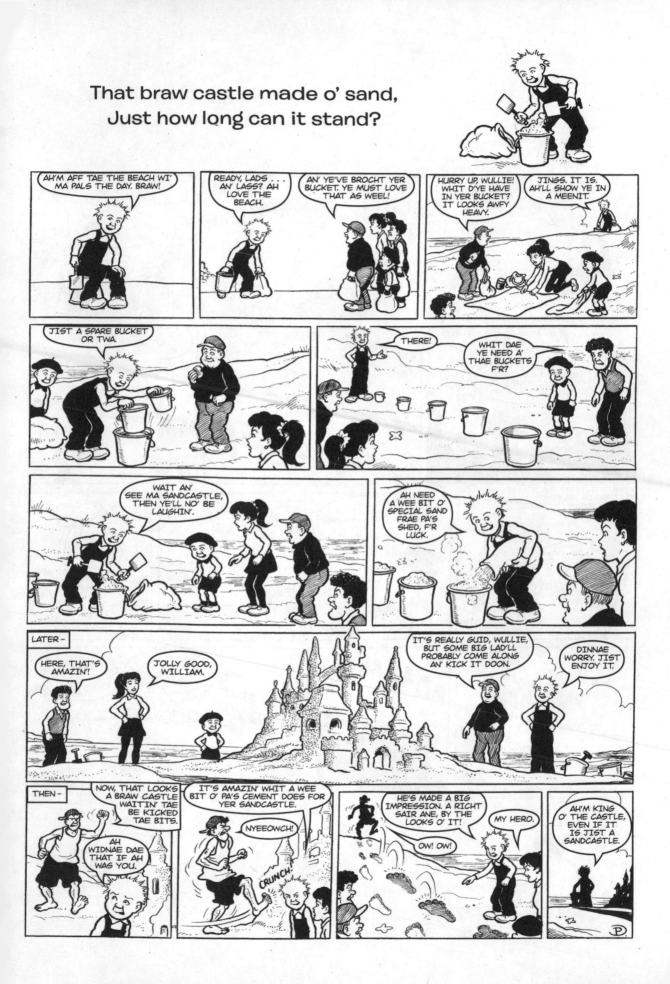

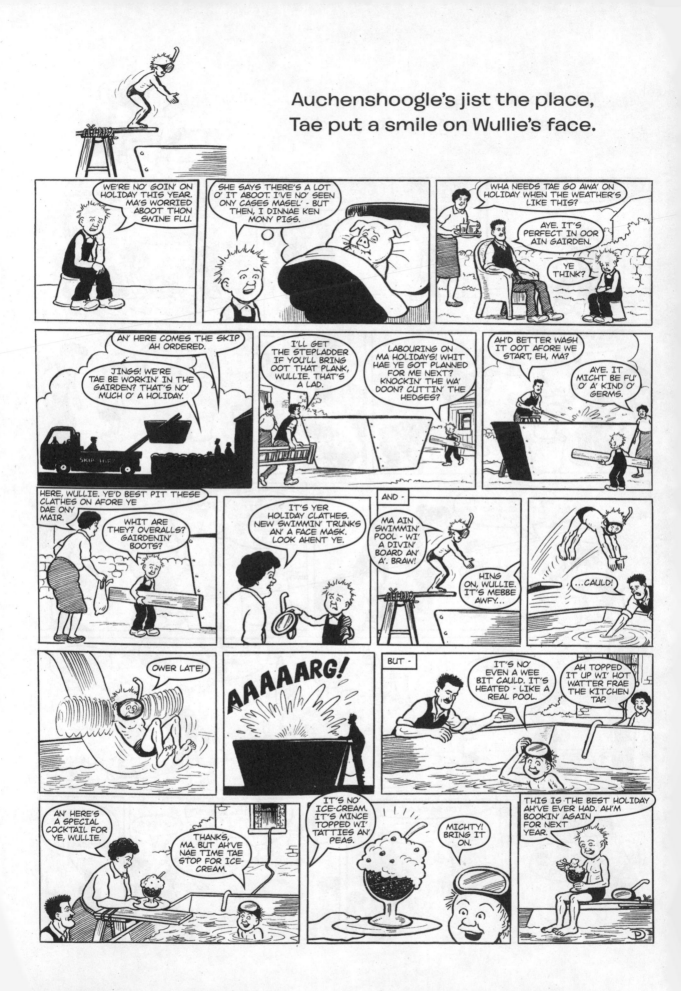

Very soon Fat Bob is wishin',
That he hadn't gone off fishin'.

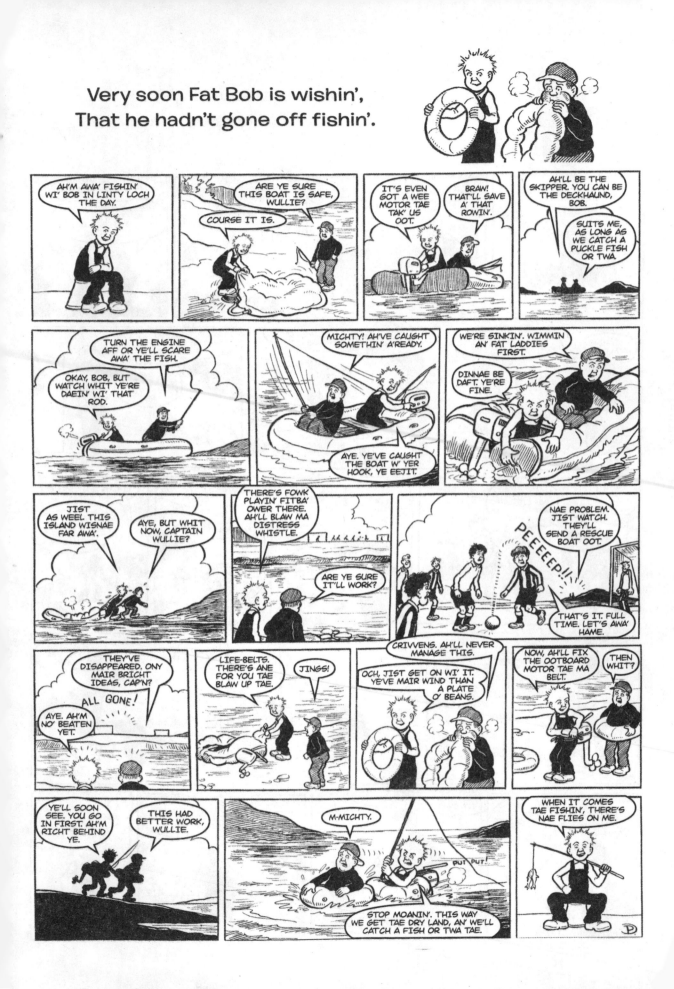

It's jist ane o' these days,
Wullie's dressed in lassies' claes.

The latest money makin' plan,
Micht succeed, thanks to Gran.

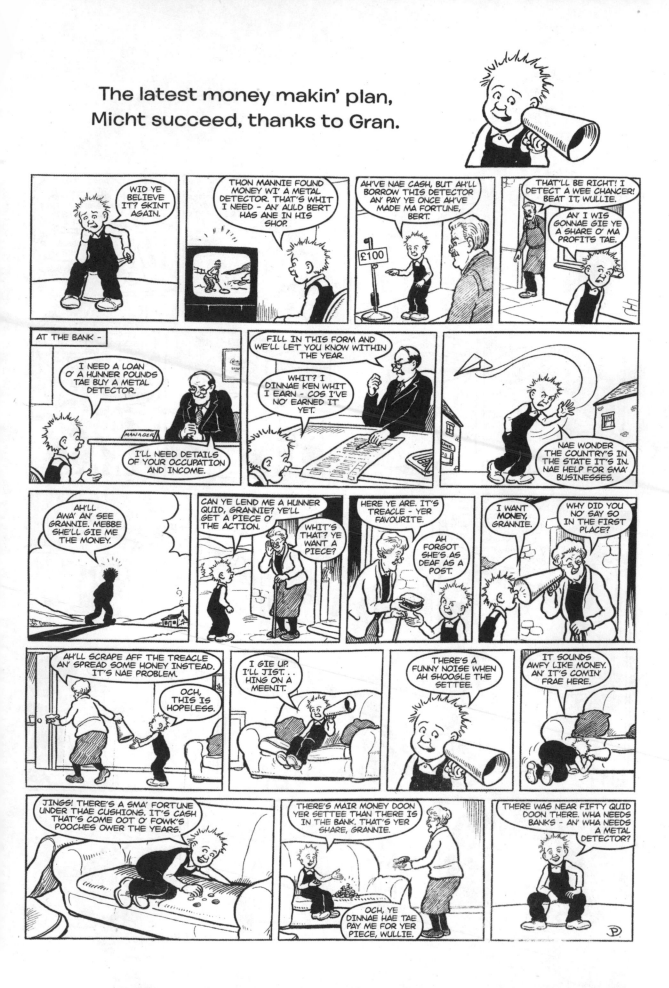

Wullie has tae use his brain,
Tae beat a' the pourin' rain.

Wullie's well on his way,
To enjoying a longer day.

Back at school and things look bad,
For our usual happy lad.

Opportunity knocks!
Wi' fake chickenpox.

The biggest windbag in the toon,
Fair makes the aipples tumble doon.

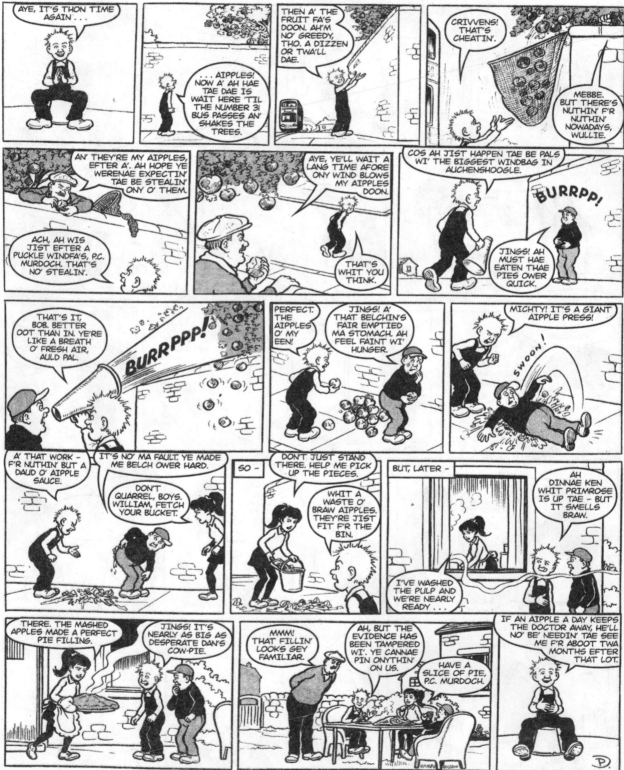

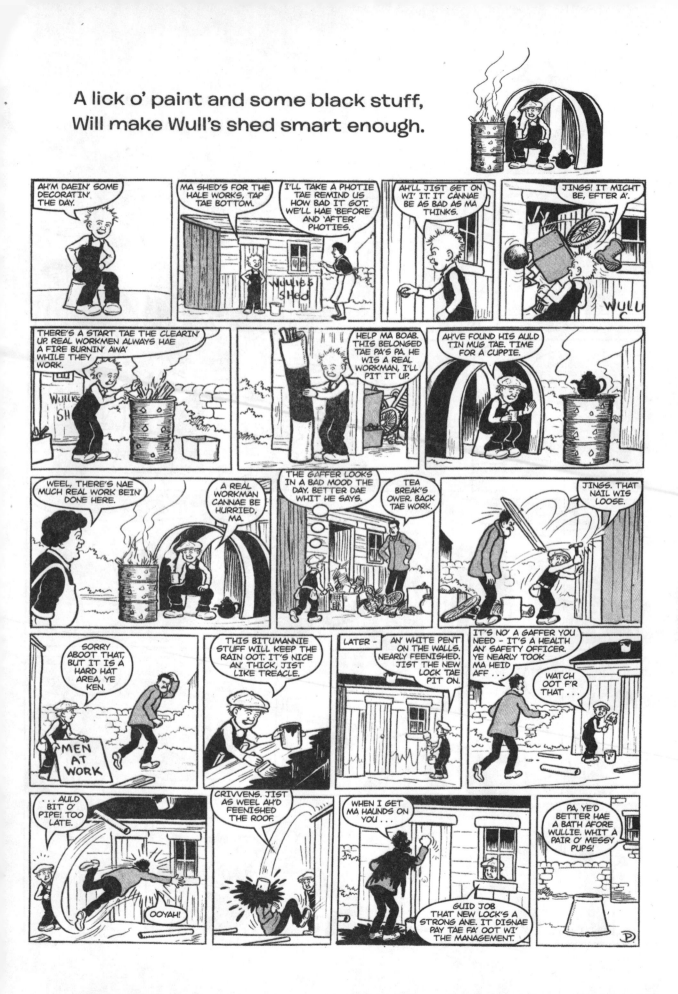

Some smart thinking soon enables, Wull tae really turn the tables.

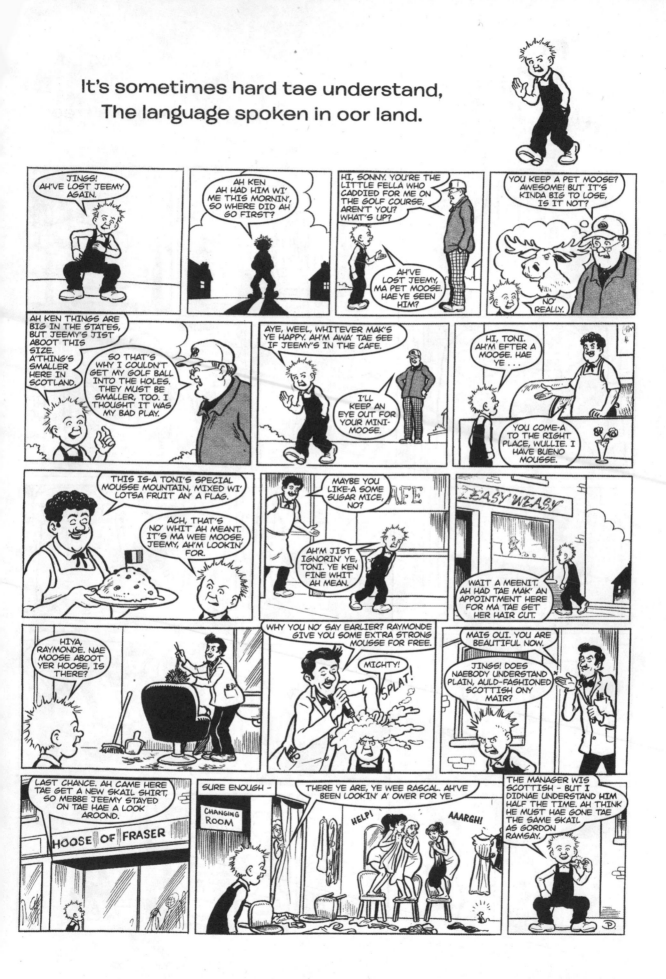

It's sometimes hard tae understand,
The language spoken in oor land.

Wullie wants a life o' ease,
On a hammock strung between twa trees.

Is Wullie really the bee's knees,
Playin' a box ye hae tae squeeze?

Wullie's new job all depends,
On him dodging four-legged friends.

See the fuss that Wullie's makin'
Is it that his arms are achin'?

Wullie disnae ken whit's up or doon,
Until he speaks tae Granpaw Broon.

Come the day an' come the hour, Oor Wullie ca's on ladder power.

The big fitba match is on today,
Oor Wullie is really keen tae play.

Wullie's pins are no' that braw,
They've hardly ony hair at a'.

Primrose is the one tae fear, At the conker time o' year.

There's piles o' leaves a' ower the toon,
An best of a' the school's shut doon.

Wullie has the face tae fear the most,
It's worse than bogle, fiend or ghost.

Wullie has the cooncil in his sicht,
Rules are spoilin' Guy Fawkes nicht.

Wullie should be countin' sheep,
The poor wee man is aff his sleep.

Cauld winter mornin's are no' funny
Wullie wishes it was hot an' sunny.

Wullie's forgettin' this and that, Will the teacher smell a rat?

Ma's really tickled pink,
At Wullie's skating rink.

Naebody needs phones tae talk,
A' ye need is slate and chalk.

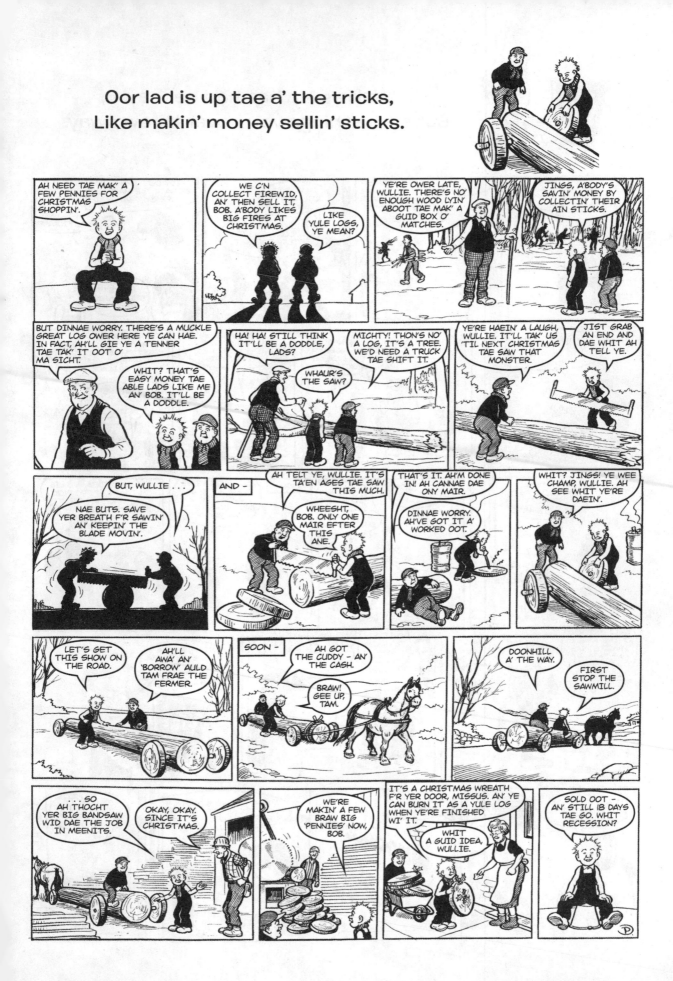

Wullie's Ma has had her say,
But some things you never throw away.

Good deeds Wullie plans to do,
For a moose an' auld folks too.

Pa isnae pleased tae see,
That wee mannie on TV.